ATLAS OF AMPHIBIANS IN THE LI RIVER BASIN

漓江流域
两栖动物图谱

杨海菊　陈伟才　主编

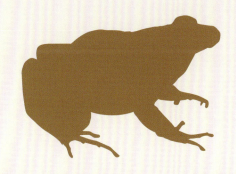

广西科学技术出版社
·南宁·

图书在版编目（CIP）数据

漓江流域两栖动物图谱 / 杨海菊, 陈伟才主编 . -- 南宁：
广西科学技术出版社, 2024.12. -- ISBN 978-7-5551-2419-1

Ⅰ. Q959.508-64

中国国家版本馆 CIP 数据核字第 20250ZF678 号

LI JIANG LIUYU LIANGQI DONGWU TUPU

漓江流域两栖动物图谱

责任编辑	池庆松
责任校对	夏晓雯
装帧设计	梁　良
责任印制	陆　弟

出 版 人	岑　刚
出　　版	广西科学技术出版社
	广西南宁市东葛路 66 号　邮政编码 530023
发行电话	0771-5842790
印　　装	广西民族印刷包装集团有限公司
开　　本	787 mm × 1092 mm　1 / 16
印　　张	10
字　　数	82 千字
版次印次	2024 年 12 月第 1 版　2024 年 12 月第 1 次印刷
书　　号	ISBN 978-7-5551-2419-1
定　　价	98.00 元

如发现印装质量问题，影响阅读，请与出版社发行部门联系调换。

《漓江流域两栖动物图谱》
编委会

主编： 杨海菊　陈伟才

编委（按姓氏笔画排列）：

　　　　韦　锋　吕伟昊　李　方

　　　　李嘉力　杨海菊　陈伟才

　　　　姜同强　黄良美　彭万晓

　　　　粟通萍　谢　雁

摄影： 陈伟才　粟通萍　彭万晓

资助单位：

　　　　广西壮族自治区生态环境监测中心

　　　　南宁师范大学

前　言

　　漓江位于广西东北部，是珠江水系西江支流桂江的上游河段，流经兴安县、灵川县、桂林市区、阳朔县，在平乐县荔浦河口流入桂江，全长约 214 千米。漓江流域以其独特的喀斯特地貌和秀丽的自然风光而闻名，成为中国最著名的旅游胜地之一。漓江流域的地质主要由石灰岩构成，形成了典型的喀斯特地貌。这里的山峰奇特，峰林、溶洞、地下河等地貌特征十分明显。漓江两岸的山体多为陡峭的石灰岩山体，其形态或奇峻或秀美，与江水相互映衬，形成了"山水甲天下"的美景。流域内地形起伏较大，河流蜿蜒曲折，形成了众多峡谷和溪流。漓江流域属亚热带季风气候，四季分明，雨热同期。

　　漓江流域包含以下重要自然保护地：广西猫儿山国家级自然保护区、广西青狮潭自治区级自然保护区、广西海洋山自治区级自然保护区以及广西桂林漓江风景名胜区、广西桂林会仙喀斯特国家湿地公园。这些保护地自然资源丰富，生态环境优良，栖息着众多珍稀动植物。以两栖动物（Amphibians）为例，据文献记载，漓江流域两栖动物种类有近 60 种，展现了极其丰富的多样性。

　　了解和保护漓江流域生物多样性是守护漓江生态的重要举措。2021—2024 年，广西壮族自治区生态环境监测中心联合南宁师范大学开展漓江流域生物多样性监测，旨在系统掌握漓江流域生物多样性的本底状况和动态，为生态环境保护提供科学、合理的对策和建议。基于 4 年的监测成果，项目组收集和整理了漓江流域 40 余种两栖动物的图片资料，涵盖了该区域主要分布的两栖动物。现将收集整理好的图片做深入加工，并辅以简要的文字，编撰成册，以期宣传漓江生物多样性保护成效，同时为流域生态保护和管理提供基础支撑。

　　本项目得到国家自然科学基金（项目批准号：32360128、32060116）和广西漓江流域生态环境质量野外科学观测人才培养项目的资助。

　　本书的编写与出版得到广西壮族自治区生态环境监测中心和南宁师范大学的大力支持，在此一并表示衷心感谢！

　　限于编写周期及编者水平，书中难免存在疏漏或不足，恳请读者批评指正。

编者

目　录

漓江流域自然环境概况

　　漓江发源于广西壮族自治区桂林市兴安县越城岭主峰猫儿山东麓，属珠江水系桂江上游河段，其主要支流有黄柏江、川江、灵河、大溶江、甘棠江、小溶江、桃花江、潮田河、遇龙河、兴坪河、田家河等。漓江流域主要涉及桂林市象山区、秀峰区、七星区、叠彩区、雁山区、阳朔县全境以及兴安县、灵川县、临桂区、平乐县、恭城瑶族自治县、荔浦市部分区域，还少量涉及资源县、全州县、灌阳县、龙胜各族自治县、永福县的行政区划范围，汇水面积 11052.27 平方千米。

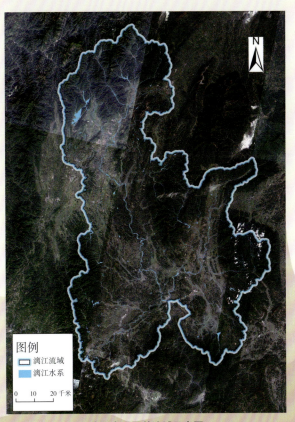

漓江水系及其流域示意图

　　漓江流域以南方丘陵、山地为主，具有典型的喀斯特地貌特点。地势上呈北高南低的趋势，最高处在越城岭主峰猫儿山，海拔约 2141 米，平乐县海拔仅约 100 米，落差达到 2000 米。流域北部为越城岭，东部和中部为都庞岭、海洋山，西北部和西部为大南山、天平山，南部为架桥岭和大瑶山。自漓江源头至河口的地貌形态可分为中山山地地貌、丘陵谷地地貌、喀斯特峰林平原地貌、喀斯特峰丛洼地地貌和低山丘陵地貌。漓江流域主要由古生界弧形褶皱与逆冲断层构成，属于桂林弧形构造带亚带，为典型喀斯特流域。漓江流域的地形主要是由非喀斯特地貌的花岗岩山体、喀斯特盆地、河谷盆地以及准平原等组成。漓江源头猫儿山为越城岭花岗岩山体，山峰陡峭险峻，成为独特的地貌景观；漓江干流及其支流沿岸以峰丛 – 河谷地貌为主，包括桂林峰林平原和桂林峰丛洼地，表现形态为在基本平坦的地面上散布着疏密不等的石峰，呈塔状、马鞍形、单面山形或小块峰簇、峰丛。这些喀斯特地貌形成了众多奇峰异石，或如刀削斧劈，或如屏风矗立，地下溶洞和地下河流众多，形成独特的自然景观，赢得"桂林山水甲天下"的美誉。

　　漓江流域属亚热带季风气候区，年平均气温 16 ～ 20 ℃。年均无霜期约320天。年降水量约2000毫米，降水集中在3—8月，枯水期为9月至翌年3月。

　　漓江流域内植被类型多样，主要有亚热带常绿阔叶林和亚热带常绿阔叶混交林、山地落叶阔叶林、针叶林、竹林、经济林和灌木丛等，植被覆盖率较高。在漓江源头的广西猫儿山国家级自然保护区有着丰富的重点保护植物，如国家一级保护植物红豆杉、银杏、银杉等，国家二级保护植物白豆杉、黄枝油杉、福建柏、楠木等。

　　此外，漓江流域也是广西重要的旅游和经济区域。流域内人口众多，旅游业、农业、渔业等经济活动与生态保护之间的协调发展是流域管理的重要课题。依托科学化管控与系统化保护措施，漓江流域的自然环境得到了有效的维护和改善，既为当地居民构筑起宜居的生活空间，又为八方游客营造出舒适的休憩环境。

有 尾 目
CAUDATA

隐鳃鲵科 Cryptobranchidae Fitzinger, 1826

大鲵属 *Andrias* Tschudi, 1837

1. 大鲵 *Andrias davidianus* (Blanchard, 1871)

成体全长约1米；头扁平且宽阔，头长略大于头宽；体表光滑；体侧肤褶明显，其上、下方有疣粒。体色以棕褐色为主，腹面具不规则深色斑。

国家二级保护动物。《世界自然保护联盟濒危物种红色名录》（即《IUCN濒危物种红色名录》）：极危（CR）。《濒危野生动植物种国际贸易公约》（CITES）：附录Ⅰ。

小鲵科 Hynobiidae Cope, 1859 (1856)

小鲵属 *Hynobius* Tschudi, 1838

2. 猫儿山小鲵 *Hynobius maoershanensis* Zhou, Jiang and Jiang, 2006

　　雄性全长约 15 厘米，雌性略小于雄性。体背面无斑，体侧有零星不规则云斑；体色以浅棕色或泥黄色为主；体侧有肋沟；尾长小于头体长。12 月至翌年 1 月繁殖，产 1 对卵袋，卵袋弧形。生活于高山沼泽中。

　　国家一级保护动物。《中国脊椎动物红色名录》：濒危（EN）。《世界自然保护联盟濒危物种红色名录》：极危（CR）。

蝾螈科 Salamandridae Goldfuss, 1820

肥螈属 *Pachytriton* Boulenger, 1878

3. 瑶山肥螈 *Pachytriton inexpectatus* Nishikawa, Jiang, Matsui and Mo, 2011

全长 12 ～ 20 厘米。体略粗壮，头长大于头宽，头扁平，吻端钝圆；具颈褶和肋沟；皮肤光滑无疣粒；体背以棕色或浅棕色为主；体腹面有橘黄色斑；尾下缘亦呈橘黄色。生活于海拔 800 ～ 1800 米的清澈溪沟内，4—7 月繁殖，卵附着于水中的石头或枯枝上。

《中国脊椎动物红色名录》：易危（VU）。

瘰螈属 *Paramesotriton* Chang, 1935

4. 富钟瘰螈 *Paramesotriton fuzhongensis* Wen, 1989

全长 13～16 厘米。体略粗壮，头扁平，头长大于头宽，吻端略突出于下颌；背脊棱明显；体背褐色，整个背面皮肤很粗糙，满布密集瘰疣，部分疣粒呈浅黄色；腹部褐色光滑，有不规则的橘黄色斑；咽喉部具疣粒；尾腹缘橘黄色。生活于海拔 400～600 米的山区阔叶林溪沟内，12 月至翌年 1 月繁殖。

国家二级保护动物。《中国脊椎动物红色名录》：易危（VU）。《世界自然保护联盟濒危物种红色名录》：易危（VU）。

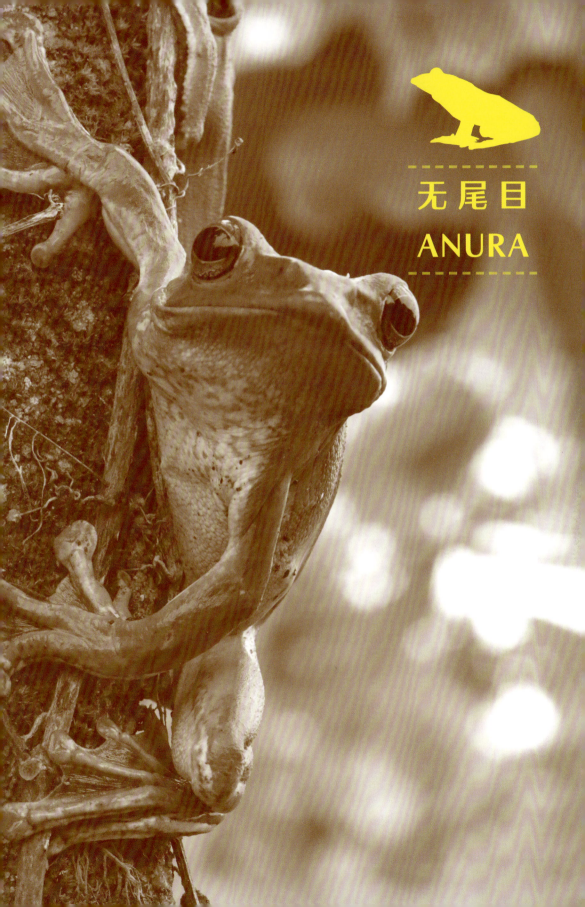

无尾目
ANURA

铃蟾科 Bombinatoridae Gray, 1825

铃蟾属 *Bombina* Oken, 1816

5. 强婚刺铃蟾 *Bombina fortinuptialis* Hu and Wu, 1978

　　成体长 5～6 厘米。体形粗壮；吻棱不明显；无鼓膜；指、趾端钝圆；指间和趾间具微蹼；无趾关节下瘤；体背密布粗大疣粒和棘刺，疣粒具黑边；腹部皮肤光滑，繁殖期胸部密布棘刺；体色以棕褐色为主，下腹、四足掌部有橘黄色斑。4—6 月繁殖，卵产于静水坑内，呈葡萄状。雄性有护卵习性。

　　《中国脊椎动物红色名录》：易危（VU）。《世界自然保护联盟濒危物种红色名录》：易危（VU）。

卵及护卵行为

角蟾科 Megophryidae Bonaparte, 1850

拟髭蟾属 *Leptobrachium* Tschudi, 1838

6. 崇安髭蟾 *Leptobrachium liui* (Pope, 1947)

成体长 6～9 厘米。头略扁平，吻端宽圆，鼓膜不明显；体背以灰棕色为主，背面密布网纹突起；腹面具黑白相间的疣粒；体侧具黑白网纹；虹膜上部乳白色；繁殖季节上颌左右两侧各有 1 枚锥状角质刺。11 月至翌年 2 月繁殖，产块状卵于水中石头下。

《中国脊椎动物红色名录》：近危（NT）。

掌突蟾属 *Leptobrachella* Smith, 1925

7. 猫儿山掌突蟾 *Leptobrachella maoershanensis* (Yuan, Sun, Chen, Rowley and Che, 2017)

成体长约2厘米。体色以棕色、灰棕色为主，两眼间有1个深色三角形斑；背面有似X形斑；体背有肤棱或疣粒突起；前肢上臂呈橘红色或浅黄色；瞳孔纵置，虹膜上部古铜色，逐渐过渡到下部的浅银色；颌褶黑色；腹部乳白色，零星分布有浅黑色细斑。4—5月繁殖，繁殖期发出似昆虫鸣叫的声音。

《世界自然保护联盟濒危物种红色名录》：近危（NT）。

8. 布氏掌突蟾 *Leptobrachella bourreti* (Dubois, 1983)

　　成体长约 3 厘米。体色以棕色、灰棕色为主，眶间区及背上部有 1 个大的深褐色 X 形斑；背下部有不规则的褐色斑；前肢有 1 道深褐色横斑，后肢有 3 道深褐色横斑；上颌缘有 3 道斑纹；瞳孔纵置，虹膜上缘古铜色，逐渐过渡到下缘的浅银色；体侧有大小不一的斑点；鼓膜深褐色；腹部乳白色，无斑。生活于海拔 1000～1800 米的阔叶林内，4—5 月繁殖。

短腿蟾属 *Brachytarsophrys* Tian and Hu, 1983

9. 珀普短腿蟾 *Brachytarsophrys popei* (Zhao, Yang, Chen, Chen and Wang, 2014)

　　成体长 7 ～ 9 厘米。头扁平且宽大，头长小于头宽；吻端钝圆；鼓膜不可见；四肢粗短；指无缘膜，趾具显著的缘膜；指间无蹼，趾间约 1/4 蹼；上眼睑有 2 ～ 5 个锥形疣质角，其中 1 个明显突起；体背皮肤粗糙且散布疣粒；体色以棕黄色或灰棕色为主，腹部紫灰色，喉部灰棕色有深色斑。8—10 月繁殖，繁殖期雄性会发出似鸭子鸣叫的声音。

　　《世界自然保护联盟濒危物种红色名录》：近危（NT）。

布角蟾属 *Boulenophrys* Fei, Ye and Jiang, 2016

10. 云开角蟾 *Boulenophrys yunkaiensis* Qi, Wang, Lyu and Wang, 2021

　　成体长 3 ～ 4 厘米。体色以浅黄色为主，体背和体侧密布疣粒，两眼间有 1 个三角形浅棕色斑；两眼明显突起，瞳孔近菱形，虹膜浅黄色；腹部有橙黄色和灰棕色相间的不规则斑。3—4 月繁殖，繁殖期雄性第 1、第 2 指背面有黑色婚刺。

11. 舜皇角蟾 *Boulenophrys shunhuangensis* (Wang, Deng, Liu, Wu and Liu, 2019)

成体长 3 ～ 4 厘米。体色因环境而多变，常见浅棕色或红棕色；两眼间有三角形斑，背部隐约可见 X 形斑；喉胸部有棕褐色和浅橘红色相杂的斑纹，而下腹部则是乳白色和浅灰色相杂的斑纹；瞳孔近菱形，虹膜浅银色。繁殖季节较长，3—8 月都能听到雄性发出尖锐的鸣叫声。

《中国脊椎动物红色名录》：易危（VU）。

蟾蜍科 Bufonidae Gray, 1825

头棱蟾属 *Duttaphrynus* Frost, Grant, Faivovich et al., 2006

12. 黑眶蟾蜍 *Duttaphrynus melanostictus* (Schneider, 1799)

成体长 8 ～ 12 厘米。皮肤粗糙，全身密布疣粒，部分疣粒具黑色角质刺；吻棱黑色，眼眶边缘黑色；鼓膜大且明显；耳后腺明显隆起；指、趾端黑色；指间无蹼，趾间半蹼；趾关节下瘤不明显。3—6 月为繁殖期，成蟾常聚集在静水塘中繁殖，雌蟾产下双行排列的黑色卵带。

蟾蜍属 *Bufo* Garsault, 1764

13. 中华蟾蜍 *Bufo gargarizans* Cantor, 1842

成体长 8 ～ 12 厘米。体形粗壮，体背粗糙，有明显突起的大疣粒，部分疣粒具黑色角质刺；鼓膜可见；耳后腺明显隆起；体背通常棕褐色或棕色，腹面土黄色且带有褐色云斑；体侧沿耳后至胯部有 1 条黑带，其边缘为乳白色。12 月至翌年 2 月繁殖，产双行卵带。

14. 隐耳蟾蜍 *Bufo cryptotympanicus* Liu and Hu, 1962

　　成体长 6～10 厘米。皮肤粗糙，有明显突起的疣粒；无鼓膜；耳后腺隆起明显；体背以棕红色或棕褐色为主，体侧有 1 道较大的疣粒；腹面有浅黄色和褐色相间的不规则疣粒；耳后腺背面淡黄色，侧面黑色。3—4 月繁殖。

　　《中国脊椎动物红色名录》：近危（NT）。

雨蛙科 Hylidae Rafinesque, 1815

雨蛙属 *Hyla* Laurenti, 1768

15. 华西雨蛙 *Hyla annectans* (Jerdon, 1870)

　　成体长约 3 厘米。皮肤光滑，体背草绿或黄绿色；沿鼻孔至躯干侧有 1 道褐色条纹；股前后及胯部浅黄色且带有黑色斑；喉部淡灰色，胸腹部有乳白色疣粒。5—6 月繁殖，鸣叫时声囊鼓起十分明显，发出"咯啊，咯啊……"的鸣叫声。

16. 三港雨蛙 *Hyla sanchiangensis* Pope, 1929

成体长 3～4 厘米。皮肤光滑，体背以翠绿色或草绿色为主；腹面乳白色；眼后至胯部有 1 道灰色和褐色相杂的细纹，将背部颜色和体侧颜色明显区分；眼下有淡黄色不规则斑；股前后和胯部淡黄色，有大的黑色斑。鸣叫时声囊明显鼓起。

蛙科 Ranidae Batsch 1796

蛙属 *Rana* Linnaeus, 1758

17. 猫儿山林蛙 *Rana maoershanensis* Lu, Li and Jiang, 2007

成体长 4 ~ 6 厘米。体背通常为土黄色，具有不均匀的细黑色斑；腹面乳黄色，无斑；四肢纤细；指端钝圆，趾末端钝尖；指、趾间蹼较发达，几乎满蹼；背侧褶明显；鼓膜大；瞳孔横置，呈长椭圆形，虹膜上下部分古铜色。12 月至翌年 3 月繁殖。

18. 寒露林蛙 *Rana hanluica* Shen, Jiang and Yang, 2007

成体长 4 ～ 5 厘米。通体以乳黄色为主，两眼间常有 1 道暗纹，眶间后方有"∧"形斑；腹面乳黄色，胸部有稀疏灰斑；背侧褶细直；四肢纤细；指趾细长；指间无蹼，趾间近全蹼；后肢具数道深色横斑。9—10 月繁殖。

水蛙属 *Hylarana* Tschudi, 1838

19. 沼水蛙 *Hylarana guentheri* (Boulenger, 1882)

成体长 6 ～ 8 厘米。体背颜色以棕黄色为主，腹面乳白色或乳黄色，无斑；背侧褶略粗；鼓膜大且圆；背侧褶下缘常具细疣粒；体侧乳白色且带有黑色斑；后肢具 3 ～ 4 道横斑。4—7 月繁殖，雄蛙发出"呱"的叫声。

20. 阔褶水蛙 *Hylarana latouchii* (Boulenger, 1899)

　　成体长 3 ～ 5 厘米。体色以棕黄色为主，背部零星分布有黑色斑，皮肤粗糙；腹面褐色污斑；背侧褶宽厚，繁殖季节时具橘红色或乳黄色斑；体侧具黑色斑；股部腹面具扁平疣；上颌缘乳白色；鼓膜褐色且大；指端无腹侧沟；趾端有腹侧沟；趾间半蹼。3—5 月繁殖。

琴蛙属 *Nidirana* Dubois, 1992

21. 桂北琴蛙 *Nidirana guibeiensis* Chen, Ye, Peng and Li, 2022

　　成体长 4～6 厘米。体色棕黄色，体背上部较光滑，通常无斑，体背下部有粗糙的角质疣粒；背侧褶明显，其下方有密集的疣粒；上颌前沿至肩部有乳白色疣粒；四肢有肤棱和疣粒；腹面和股部腹面皮肤光滑；腹部乳白色，股部腹面浅肉色。3—6 月繁殖。

臭蛙属 *Odorrana* Fei, Ye and Huang, 1990

22. 竹叶蛙 *Odorrana versabilis* (Liu and Hu, 1962)

　　雄蛙体长 5～7 厘米，雌蛙体长 7～8 厘米。头扁平，吻端明显突出于下颌；体色以棕褐色或土黄色为主；腹面乳白色，有褐色污斑；背侧褶明显，其下缘褐色且带有乳黄色疣粒；上颌颌腺宽厚；鼓膜清晰；四肢横纹明显；繁殖期第 1 指内侧缘明显肿大。3—4 月繁殖。

　　《中国脊椎动物红色名录》：近危（NT）。

23. 大绿臭蛙 *Odorrana graminea* (Boulenger, 1899)

　　雄蛙体长 4 ～ 5 厘米，雌蛙体长 8 ～ 10 厘米，雌性个体明显大于雄性个体；体背翠绿色，偶有几个褐色斑；腹部乳白色，无斑；指趾端膨大具腹侧沟；四肢具横纹；指间无蹼，趾间全蹼。4—6 月繁殖。

24. 花臭蛙 *Odorrana schmackeri* (Boettger, 1892)

　　雄蛙体长 4～5 厘米，雌蛙体长 7～9 厘米，雌、雄个体大小差异明显。体背以草绿色为主，背上散布有棕褐色不规则斑；皮肤粗糙；无背侧褶；体侧粗糙，有疣粒；鼓膜大，褐色；腹面乳白色；指间无蹼，趾间全蹼。5—8 月繁殖。

25. 黄岗臭蛙 *Odorrana huanggangensis* Chen, Zhou and Zheng, 2010

雄蛙体长 4～5 厘米，雌蛙体长 8～10 厘米。体色翠绿色且带有不规则褐色斑；腹面乳白色，无斑；无背侧褶；四肢有褐色横纹；鼓膜浅褐色略凹陷；指间无蹼，趾间全蹼。4—6 月繁殖。

26. 荔浦臭蛙 *Odorrana lipuensis* Mo, Chen, Wu, Zhang and Zhou, 2015

　　雄蛙体长 4 ～ 5 厘米，雌蛙体长 5 ～ 6 厘米。体形纤细，背部体色以草绿色为主，有不规则棕褐色斑纹；四肢有棕褐色横纹；腹部及四肢腹面肉红色且具浅色灰斑；皮肤粗糙，特别是在体侧疣粒较多；瞳孔黑色，虹膜铜绿色。3—5 月繁殖，卵乳黄色。生活于黑暗的喀斯特洞穴中，全年活动，无冬眠现象，生活史在洞穴内完成。

侧褶蛙属 *Pelophylax* Fitzinger, 1843

27. 黑斑侧褶蛙 *Pelophylax nigromaculatus* (Hallowell, 1860)

成体长 6～8 厘米。体色多样，常见为黄绿色、淡绿色、深绿色等，背部散布有不规则的黑色斑纹；皮肤粗糙有纵肤棱；背侧褶较厚；颞褶黑色；鼓膜大且清晰，灰褐色；后肢有深褐色和浅棕色相间的横纹；瞳孔横置，黑色，虹膜古铜色；腹部乳白色，喉部隐约可见稀疏斑纹；指、趾纤细，指间无蹼，趾间全蹼。3—4 月繁殖，卵群团状，产于稻田或池塘浅水处。

《中国脊椎动物红色名录》：近危（NT）。《世界自然保护联盟濒危物种红色名录》：近危（NT）。

湍蛙属 *Amolops* Cope, 1865

28. 中华湍蛙 *Amolops sinensis* Lyu, Wang and Wang, 2019

雄蛙体长 5 ~ 6 厘米，雌蛙体长 6 ~ 7 厘米。头较扁平；体色以褐色为主，有乳黄色斑；腹面乳白色，有褐云斑，特别是在喉胸部较明显；皮肤粗糙具疣粒，体侧疣粒更为明显；指、趾端膨大，具边缘沟；指、趾关节下瘤明显；指间无蹼，趾间全蹼。5—6月繁殖，蝌蚪腹部有吸盘。

叉舌蛙科 Dicroglossidae Anderson, 1871

陆蛙属 *Fejervarya* Bolkay, 1915

29. 泽陆蛙 *Fejervarya multistriata* (Hallowell, 1860)

雄蛙体长 3 ～ 4 厘米，雌蛙体长 4 ～ 5 厘米。体色多样，常见棕色、草绿色；体背皮肤粗糙具肤棱，部分个体体背有 1 道贯穿头体的淡黄色纹路；腹面乳白色，无斑；无背侧褶；指间无蹼，趾间半蹼。3—9 月繁殖，繁殖期雄性咽喉部呈灰黑色。

虎纹蛙属 *Hoplobatrachus* Peters, 1863

30. 虎纹蛙 *Hoplobatrachus chinensis* (Osbeck, 1765)

雄蛙体长 7 ～ 10 厘米，雌蛙体长 9 ～ 15 厘米，体形硕大。体色以灰褐色为主，体背有深色斑，腹部乳白色，无斑；吻端略尖；鼓膜大；无背侧褶；指间无蹼，趾间全蹼；指、趾端略尖，无腹侧沟。3—8 月繁殖。

国家二级保护动物。《中国脊椎动物红色名录》：濒危（EN）。

棘胸蛙属 *Quasipaa* Dubois, 1992

31. 棘腹蛙 *Quasipaa boulengeri* (Günther, 1889)

雄蛙体长 7～10 厘米，雌蛙体长 9～12 厘米，体形大。体色深褐色；皮肤十分粗糙，密布疣粒，部分疣粒有黑色角质刺；四肢粗壮；腹部乳白色，繁殖期腹部密布大小不等的角质刺；无背侧褶；指、趾端膨大无腹侧沟；指间无蹼，趾间全蹼。5—8 月繁殖，繁殖期雄性第 1～4 指都有婚刺，其中主要集中在第 1、2 指。

《中国脊椎动物红色名录》：易危（VU）。《世界自然保护联盟濒危物种红色名录》：濒危（EN）。

32. 棘胸蛙 *Quasipaa spinosa* (David, 1875)

雄蛙体长 10～15 厘米，雌蛙体长 11～17 厘米，成体体形硕大，四肢粗壮。体色以土黄色或棕褐色为主，背部斑纹或有或无，部分个体有 1 道贯穿体背的乳黄色横纹；腹部乳白色，无斑，繁殖期胸部有黑色角质刺；无背侧褶；指、趾端膨大，无腹侧沟；指间无蹼，趾间全蹼；指、趾关节下瘤明显。5—9 月繁殖，卵呈葡萄状，产于水中石块下。

《中国脊椎动物红色名录》：易危（VU）。《世界自然保护联盟濒危物种红色名录》：易危（VU）。

33. 棘侧蛙 *Quasipaa shini* (Ahl, 1930)

雄蛙体长 9～11 厘米，雌蛙体长 9～12 厘米，体形大，四肢粗壮。体色以土黄色或褐色为主；吻端钝圆，鼓膜清晰，颞侧褶粗；无背侧褶；繁殖期雄性第 1～3 指有婚刺；指、趾端膨大；指间无蹼，趾间全蹼；指、趾关节下瘤大且圆；皮肤粗糙，具长短不一的纵行疣粒，疣粒端有黑色角质刺，体侧疣粒甚多；腹面乳白色或浅黄色。4—6 月繁殖。

《中国脊椎动物红色名录》：易危（VU）。《世界自然保护联盟濒危物种红色名录》：濒危（EN）。

树蛙科 Rhacophoridae Hoffman,1932(1858)

棱皮树蛙属 *Theloderma* Tschudi, 1838

34. 红吸盘棱皮树蛙 *Theloderma rhododiscus* (Liu and Hu, 1962)

成体长 3～4 厘米。体背颜色以茶褐色为主，有稀疏黑色斑；体侧污白有黑色斑；腹面深褐色有污白的网状纹；皮肤十分粗糙，疣粒甚多且有无规律的肤棱；指、趾端膨大成吸盘，具边缘沟；指、趾吸盘橘红色；指间无蹼，趾间近半蹼。5—8 月繁殖。

《中国脊椎动物红色名录》：易危（VU）。《世界自然保护联盟濒危物种红色名录》：近危（NT）。

纤树蛙属 *Gracixalus* Delorme, Dubois, Grosjean and Ohler, 2005

35. 金秀纤树蛙 *Gracixalus jinxiuensis* (Hu, 1978)

成体长约3厘米。体色以淡黄色为主，其背部有X形深色大斑；皮肤粗糙，布满疣粒；腹面布满扁平疣，灰褐色，具污斑；指、趾端膨大成吸盘，具边缘沟；指间具微蹼，趾间约1/3蹼。2—5月繁殖，卵产于竹洞、树洞或一些人工水坑（洞）中。

《中国脊椎动物红色名录》：易危（VU）。《世界自然保护联盟濒危物种红色名录》：易危（VU）。

泛树蛙属 *Polypedates* Tschudi, 1838

36. 斑腿泛树蛙 *Polypedates megacephalus* Hallowell, 1861

雄蛙体长 4～5 厘米，雌蛙体长 5～7 厘米。体色以橙黄色为主，体背皮肤光滑，通常有 X 形斑或纵条纹；腹面乳黄色或乳白色；股后有细网状斑；颞侧褶平直；鼓膜清晰；指、趾端膨大形成吸盘，具边缘沟；指间无蹼，趾间具微蹼。4—9 月繁殖，泡状卵产于静水边上的灌草丛中或稻田内。

37. 无声泛囊树蛙 *Polypedates mutus* (Smith, 1940)

雄蛙体长 5 ～ 6 厘米，雌蛙体长 5 ～ 7 厘米。体色以土黄色或黄棕色为主，体背皮肤光滑，通常有 4 ～ 6 道纵纹；指间无蹼，趾间具微蹼；股后有网状大斑；腹面乳白色，无斑，但喉部常有褐色云斑；颞侧褶平直，其下缘通常黑色或褐色。4—7 月繁殖，泡状卵产于静水坑周边杂草或灌丛枝叶上。

38. 布氏泛树蛙 *Polypedates braueri* (Vogt, 1911)

　　成体长 5～6 厘米。体色以土黄色或棕褐色为主；体背皮肤光滑有细疣粒；体背斑纹或有或无，偶散布有稀疏褐斑；股后方有较大白色斑点，斑点间深黑色；颞褶明显；指间无蹼，趾间 3/4 蹼。5—8 月繁殖，泡状卵附着于水边草根上或泥窝中。

张树蛙属 *Zhangixalus* Li, Jiang, Ren and Jiang, 2019

39. 大树蛙 *Zhangixalus dennysi* (Blanford, 1881)

雄蛙体长 7～9 厘米，雌蛙体长 8～11 厘米。体色以翠绿色或草绿色为主，体背常有稀疏锈斑；体侧偶见白色斑纹；腹部布满乳白色扁平疣，喉胸部常有浅褐色云斑；鼓膜清晰；指、趾端膨大形成吸盘，具边缘沟；指间半蹼，趾间全蹼；足及前臂外缘乳白色；幼体时上颌缘乳白色。4—5 月繁殖，泡状卵产于水坑上方的树叶上。

40. 侏树蛙 *Zhangixalus minimus* (Rao, Wilkinson and Liu, 2006)

成体长 3～4 厘米。体背通常翠绿色或草绿色，无斑；腹面乳黄色或乳白色，布满扁平疣；上颌至胯部有 1 道污白色纵纹，把背部和腹部明显分开；鼓膜绿色；指、趾端膨大形成吸盘，具边缘沟；指间具微蹼，趾间约 1/3 蹼。4—6 月繁殖，泡状卵产于静水坑边。

《中国脊椎动物红色名录》：近危（NT）。《世界自然保护联盟濒危物种红色名录》：近危（NT）。

41. 瑶山树蛙 *Zhangixalus yaoshanensis* (Liu and Hu, 1962)

雄蛙体长约 3 厘米，雌蛙体长约 5 厘米。体色以翠绿色、草绿色或橄榄绿为主，体背常无斑点，偶有稀疏乳白色细斑；腹部乳白色，布满扁平疣；繁殖期雌、雄个体的大腿、胫骨、足内侧呈橘红色；指、趾端膨大形成吸盘，具边缘沟；指间具微蹼，趾间 1/3 蹼。3—4 月繁殖，卵产于海拔约 1000 米的林区灌丛水坑内。

《中国脊椎动物红色名录》：濒危（EN）。《世界自然保护联盟濒危物种红色名录》：近危（NT）。

姬蛙科 Microhylidae Günther, 1858 (1843)

姬蛙属 *Microhyla* Tschudi, 1838

42. 粗皮姬蛙 *Microhyla butleri* Boulenger, 1900

成体长约 3 厘米，体形较小。体色以土褐色、棕色为主，背部有不规则深色大斑纹，背面皮肤有稀疏分布的疣粒突起；腹面乳黄色或乳白色；繁殖期喉部呈灰褐色；鼓膜不清晰；无颞侧褶；指、趾端形成略微膨大的小吸盘，背部有小纵沟；指间无蹼，趾间具微蹼。5—6 月繁殖，卵产于水面上。

43. 饰纹姬蛙 *Microhyla fissipes* Boulenger, 1884

成体长约 2 厘米，身体呈三角形。皮肤粗糙具小疣粒；背部体色以棕褐色、土黄色为主，嵌有 2 个深色的"Λ"形大斑；体侧灰褐色；腹部乳黄色或乳白色，喉部灰褐色；指、趾端圆；指间无蹼，趾间具蹼迹；鼓膜不明显。3—8 月繁殖，鸣叫声十分响亮，卵产于水面之上。

44. 小弧斑姬蛙 *Microhyla heymonsi* Vogt, 1911

成体长约 2 厘米，体形较小，呈三角形。体背通常为棕色、土黄色，有 1 道乳白色纵纹从吻端贯穿背部；体侧灰褐色；腹部乳白色，喉部浅灰色；鼓膜不明显；指端形成小吸盘，有纵沟；趾吸盘大于指吸盘，亦有纵沟；指间无蹼，趾间具蹼迹。5—8 月繁殖，卵产于静水坑的水面上。

45. 花姬蛙 *Microhyla pulchra* (Hallowell, 1860)

　　成体长2～3厘米，呈三角形。背部为棕黑色和棕色套嵌的"/＼"形斑纹，背中央纹路不规则；腹部乳白色或乳黄色，喉胸部深褐色；后肢腹面淡黄色，背面具棕褐色横纹；指、趾端钝圆，其背面无纵沟；指间无蹼，趾间半蹼。3—8月繁殖。卵产于静水坑的水面上。

狭口蛙属 *Kaloula* Gray, 1831

46. 花狭口蛙 *Kaloula pulchra* Gray, 1831

成体长 5 ～ 7 厘米，体形敦圆。体背以褐色为主，从眼后至胯部有淡黄色或棕红色的大条纹；腹部有均匀的褐云斑；四肢粗短；指端楔形，指间无蹼，趾间具微蹼；皮肤光滑，散布细疣粒，能分泌黏稠液保湿。4—6 月繁殖，通常在大雨后鸣叫，叫声似牛叫，十分响亮。

参考文献

陈伟才，2024. 广西荔浦洞穴中的荔浦臭蛙. 大自然，238(4): 28-33.

广西动物学会，1988. 广西陆栖脊椎动物名录［M］. 桂林：广西师范大学出版社：1-11.

侯绍兵，袁智勇，车静，2017. 广西猫儿山两栖动物物种多样性垂直分布格局研究［D］. 桂林：广西师范大学.

黄金玲，蒋德斌，2002. 广西猫儿山自然保护区综合科学考察［M］. 长沙：湖南科学技术出版社.

蒋锝斌，罗远周，王绍能，等，2006. 广西猫儿山国家级自然保护区的两栖爬行动物［J］. 四川动物，25(2): 294-297.

陆宇燕，李丕鹏，蒋得斌，2007. 中国蛙类一新种（无尾目，蛙科）［J］. 动物分类学报，32(4): 792-801.

莫运明，韦振逸，陈伟才，2014. 广西两栖动物彩色图鉴［M］. 南宁：广西科学技术出版社.

张玉霞，1987. 广西两栖类的调查及区系研究［J］. 两栖爬行动物学报，6(1): 52-58.

张玉霞，2000. 桂林漓江风景名胜区的两栖爬行动物[C]// 中国动物学会两栖爬行动物学分会，遵义医学院. 两栖爬行动物学研究（第8辑）——亚洲两栖爬行动物学第四届国际学术会议专辑.

张玉霞，温业棠，2000. 广西两栖动物［M］. 桂林：广西师范大学出版社.

中国野生动物保护协会，1999. 中国两栖动物图鉴［M］. 郑州：河南科学技术出版社.

Chen W C, Ye J P, Peng W X, et al., 2022. A new species of *Nidirana* (Anura, Ranidae) from northern Guangxi, China［J］. ZooKeys，1135: 119-137.

附　录
两栖动物形态及度量示意图

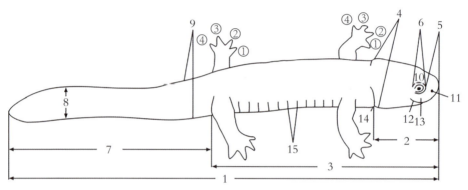

1—全长；2—头长；3—头体长；4—头宽；5—吻长；6—眼径；7—尾长；8—尾高；9—尾宽；

10—上眼睑；11—鼻孔；12—口裂；13—唇褶；14—颈褶；15—肋沟；

①②③④表示指和趾的顺序

有尾目成体（引自费梁，1999）

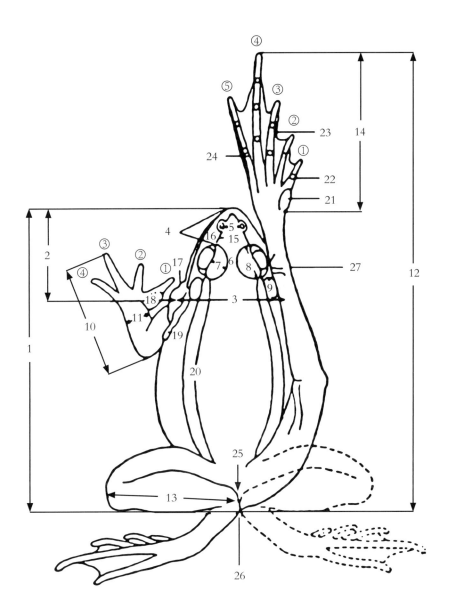

1—体长；2—头长；3—头宽；4—吻长；5—鼻间距；6—眼间距；7—上眼睑宽；8—眼径；
9—鼓膜；10—前臂及手长；11—前臂宽；12—后肢全长；13—胫长；14—足长；15—吻棱；
16—颊部；17—咽侧外声囊；18—婚垫；19—颞褶；20—背侧褶；21—内跖突；22—关节下瘤；
23—蹼；24—外侧跖间之蹼；25—肛；26—示左右跟部相遇；27—示胫跗关节前达眼部；
手上的①②③④表示指的顺序；足上的①②③④⑤表示趾的顺序

无尾目成体（引自费梁，1999）